CAERPHILLY COUNTY BOROUGH COUNCIL
3 8030 08132 9909
D1635435
2

Mae llyfr hwn yn perthyn i

This book belongs to

....

Y fersiwn Saesneg © Laura Ward

Cyhoeddwyd yn 2013 gan Award Publications Limited,
The Old Riding School, The Wellbeck Estate, Worksop,
Nottinghamshire S80 3LR

Y fersiwn Cymraeg Hawlfraint © Atebol Cyfyngedig 2014

Cyhoeddwyd gan Atebol Cyfyngedig, Adeiladau'r Fagwyr,
Llanfihangel Genau'r Glyn, Aberystwyth,
Ceredigion SY24 5AQ

Cedwir pob hawl gan gynnwys yr hawl i atgynhyrchu'r
cyfan neu'n rhannol mewn unrhyw fodd heb ganiatâd
ymlaen llaw gan y cyhoeddwr, Atebol Cyfyngedig,
Aberystwyth, Ceredigion SY24 5AQ

www.atebol.com

Un o lyfrau'r Parot Piws
... ar gyfer plant Cymru

CCBC PO
10465432

Gŵydd ar y Fferm

Goose on the Farm

gan Laura Wall

Addasiad Cymraeg gan Gill Saunders Jones

@ebol

Mae Soffi a Gŵydd yn mynd ar drip ysgol i'r fferm heddiw.

Today Sophie and Goose are going on a school trip to the farm.

Mae Mam a Soffi
yn paratoi picnic i fynd gyda nhw.

Mum helps Sophie to make a packed lunch.

Yna mae Soffi a Gŵydd
yn gwisgo welis,

Then Sophie and Goose put on their wellies,

ac yn mynd i aros am y bws
gyda'r plant bach eraill.

and wait for the bus with the other children.

Mae llawer o bethau
i'w gweld ar y daith.

There are lots of things to see on the way.

Ond nid oes llawer o ddiddordeb yn yr olygfa gan Gŵydd.

But Goose doesn't seem interested in the view.

Mae pawb yn edrych ymlaen
at weld yr anifeiliaid.

Everyone is excited about meeting the animals.

Yn gyntaf maen nhw'n chwarae gyda'r cwningod.

First they play with the bunny rabbits.

Ffwrdd â nhw wedyn
i fwydo'r ŵyn.

Next, they feed the lambs.

Yna i gyfarfod â'r cywion bach melyn.

And then they meet some fluffy chicks.

Mae Gŵydd yn teimlo'n drist.

Goose starts to feel left out.

Mae'n cerdded i ffwrdd
i eistedd ar ei ben ei hun.

He wanders away to sit by himself.

Ond mae Gŵydd yn eistedd ar nyth o wyau,

But Goose is sitting on a nest of eggs,

ac mae'r iâr yn dweud y drefn!

and the mother hen chases him away.

Splash! Mae Gŵydd wedi rhedeg
i mewn i bwll mwdlyd.

Splash! Goose runs into a muddy puddle.

O diar, mae ei blu yn fwd i gyd.

Now his feathers are covered in mud.

Mae Gŵydd yn gweld
aderyn glas mawr.
Mae'n gwisgo het bluog ddigri.

Goose sees a big blue bird with a funny, feathery hat.

Mae cynffon liwgar y paun
yn rhoi braw i Gŵydd ...

The peacock's colourful tail makes him jump ...

...ac mae'n rhedeg
i mewn i'r fuwch!

...and he bumps into a cow!

Erbyn hyn dydy Gŵydd ddim yn siŵr os yw'n hoffi'r fferm o gwbl.

Goose isn't sure he likes the farm after all.

Ond arhoswch.
Beth ydy hwnna?

But wait. What's that?

Gafr!

A goat!

Mae'r afr yn gwenu ar Gŵydd.

The goat smiles at Goose.

Mae Gŵydd yn dilyn
yr afr gyfeillgar.

Goose follows the friendly goat.

Maen nhw'n gweld ceiliog
yn canu ar ben y ffens.

They see a cockerel crowing on a fence.

Mae'r ddau yn canu cân wirion gyda'r ceiliog.

And they sing a silly song with him.

"Helô", meddai'r twrci.

A turkey comes to say hello.

Ac mae'r tri yn dawnsio'n hwyliog.

And they all do a funny dance.

Yna maen nhw'n gweld Soffi yn sefyll gerllaw.

Then who should they see but Sophie.

“Dyna ti, Gŵydd! Dw i wedi bod yn edrych amdanat ti ym mhob man.”

“There you are, Goose! I’ve been looking for you everywhere.”

"Tyrd, mae'n amser cinio!"

"Come on, it's time for lunch!"

Mae'r afr yn dilyn Gŵydd a Soffi.

The goat follows Goose and Sophie.

Mae pawb yn golchi eu dwylo.

They wash their hands.

Ac maen nhw'n eistedd
i lawr i fwyta.

And they all sit down to eat.

O na! Ble mae'r brechdanau?

But, oh! There are no sandwiches!

Mae Ben, ffrind caredig Soffi,
yn rhannu ei ginio gyda nhw.

Sophie's friend Ben kindly shares his lunch.

Ar ôl bwyd mae'r ffermwr
yn mynd â'r plant ...

After they've eaten, the farmer takes the children ...

... o gwmpas y fferm ar ei dractor.

... all round the farm with his tractor.

Mae pawb yn cael reid ar y merlod.

And everyone has a pony ride.

Honc!!

Meeeee!

Yna, mae pawb yn chwarae gêm o guddio.

Then they all play hide-and-seek.

Ond cyn pen dim,
mae'n amser mynd adref.

But soon it's time to go home.

"Am ddiwrnod braf!" meddai Soffi.

"What a lovely day!" says Sophie.

“Honc” meddai Gŵydd.

“Honk!” says Goose.